LES PETITES HISTOIRES DU SOIR

Animaux d'ici et d'ailleurs

GRÜND

Illustrations et textes : Collectif
Maquette : Sandrine Morgan
Édition : Chantal Janisson et Lola Salines
Texte composé en Bembo

Illustrations de couverture :
Raphaëlle Michaud pour la première de couverture.

Illustrations intérieures :
Raphaëlle Michaud, Laura Guéry, Didier Graffet, Céline Puthier, Bruno David,
Anne Defréville, Emmanuel Sant, Anaïs Rotteleur, Pauline Lefebvre-Vannier, Jérôme Brasseur.

www.grund.fr – 60, rue Mazarine – 75 006 Paris

ISBN 978-2-7000-3137-9
Dépôt légal : janvier 2011
Imprimé en Italie

Loi n° 49-956 du 16 juillet 1949 sur les publications destinées à la jeunesse

Sommaire

Le Loup et les sept cabris 4

La Moufette et les grenouilles 10

Le Vieil Homme et l'oiseau 14

Le Lion fidèle 22

Qui est le plus vieux ? 25

Le Vilain Petit Canard 31

Le Coq entêté 37

Le Crapaud 44

Le Vieux Couple et les écureuils 52

Les Musiciens de Brême 58

Le Loup et les sept cabris

illustré par Raphaëlle Michaud

Il y avait une fois une vieille chèvre qui avait sept cabris, et elle les aimait comme une mère aime ses enfants.

Un jour, elle leur dit :

– Chers enfants, je vais au bois. Prenez garde au loup. S'il entrait, il vous mangerait tous, cuir et poil. Le méchant se contrefait souvent, mais vous le reconnaîtrez facilement à sa voix rauque et à ses pieds noirs.

Les cabris répondirent :

– Chère mère, nous ferons bien attention. Vous pouvez partir sans souci.

Là-dessus, la chèvre se mit en route.

Un instant après, quelqu'un vint frapper à la porte en criant :

– Ouvrez-moi, chers enfants. C'est votre mère et elle vous apporte à tous quelque chose.

Mais les cabris avaient reconnu à la voix rauque que c'était le loup.

– Nous ne voulons pas ouvrir, répondirent-ils, tu n'es pas notre mère qui a une voix douce et caressante, tandis que la tienne est rauque. Tu es le loup.

Le loup s'en alla alors chez un marchand, et acheta un gros morceau de craie qu'il mangea pour s'adoucir la voix. Puis il revint, frappa à la porte et cria :

– Ouvrez-moi, chers enfants. C'est votre mère et elle vous apporte à tous quelque chose.

Mais le loup avait posé sa patte noire contre la fenêtre. Les cabris la virent et répondirent :

– Nous ne voulons pas ouvrir ; notre mère n'a pas de pied noir comme toi. Tu es le loup.

Le loup courut alors chez un boulanger, lui demanda de poudrer sa patte de farine et le fripon, pour la troisième fois, frappa à la porte en disant :

– Chers enfants, ouvrez-moi. Votre chère petite mère est revenue et elle vous apporte à tous quelque chose.

– Montre-nous d'abord ta patte, dirent les cabris, afin que nous sachions si tu es notre petite mère.

Alors le loup posa sa patte contre la fenêtre, et quand ils virent qu'elle était blanche, ils crurent que tout était vrai, et ouvrirent la porte. Mais qui est-ce qui entra ? Ce fut le loup. Ils eurent grand-peur et voulurent se cacher. L'un sauta sous la table, le second dans le lit, le troisième dans le fourneau, le quatrième dans la cuisine, le cinquième dans le buffet, le sixième sous la terrine à relaver, le septième dans la caisse de l'horloge. Mais le loup les trouva tous et les avala à l'exception du plus jeune, qu'il ne put trouver dans la caisse de l'horloge !

Quand le loup eut satisfait son envie, il s'en alla se coucher dehors, dans la verte prairie, sous un arbre, et s'endormit.

Bientôt, la chèvre rentra de la forêt. Ah ! Dieu ! Quel spectacle l'attendait ! Elle cherchait ses enfants, mais ne parvenait pas à les trouver. Elle les appelait par leur nom les uns après les autres, mais personne ne répondait. Enfin, quand elle appela le nom du plus jeune, une petite voix s'écria :

– Chère mère ! Je suis caché dans la caisse de l'horloge !

Elle le tira dehors, et il lui raconta que le loup était venu et qu'il avait mangé tous les autres. Vous pouvez penser comme elle pleura ses pauvres enfants !

Enfin, elle ressortit toute désolée, et le plus jeune des cabris lui courut après.

Quand elle arriva dans la prairie, le loup était couché sous l'arbre et ronflait si fort que les branches tremblaient. Elle le regarda de tous côtés et s'aperçut que quelque chose remuait et gigotait dans son énorme ventre si bien rempli.

« Ah ! Dieu ! pensa-t-elle, est-ce que mes pauvres enfants qu'il a avalés pour son souper seraient encore en vie ? »

Il fallut que le cabri courût à la maison lui chercher les ciseaux, une aiguille et du fil. Alors elle ouvrit la panse du loup, et dès qu'elle eut commencé à couper, un des cabris sortit sa tête, et, à mesure qu'elle coupait, tous les autres s'échappèrent de même l'un après l'autre.

– Maintenant, dit-elle à ses enfants, allez vite me chercher des pierres pour remplir le ventre de la maudite bête pendant qu'elle dort encore.

Alors, les petits cabris allèrent vite chercher des pierres et les fourrèrent dans le ventre du loup, puis la mère le recousit en toute hâte.

Quand le loup eut fini de dormir, il voulut aller boire à une fontaine. Mais quand il commença à bouger, les pierres se heurtèrent dans son ventre les unes contre les autres, en faisant du bruit. Il fut très étonné. Puis il s'écria :

– *Qu'est-ce qui fait ce vacarme-là*
Au fin fond de mon estomac ?
J'avais avalé des cabris,
Et je suis plein de cailloux gris !

Et quand, arrivé à la fontaine, il voulut se pencher sur l'eau pour boire, les lourdes pierres l'entraînèrent et il se noya misérablement. Quand les sept cabris virent cela, ils accoururent au galop, en criant tout haut :

– Le loup est mort ! Le loup est mort !

Et ils se mirent à danser de joie, avec leur mère, autour de la fontaine.

La Moufette et les grenouilles

fable du Nouveau Monde illustrée par Laura Guéry

La moufette du bord du Ruisseau Fangeux se faisait déjà vieille et guettait en vain du matin au soir des grenouilles sur la rive. Sans se donner grand mal, toutes les grenouilles parvenaient à lui échapper et, retranchées dans leur marécage, elles chantonnaient à son intention :

« Coa, coa, coa,

De la vieille moufette ne serons plus les proies ! »

Un jour, le lièvre s'aventura au bord du ruisseau et il s'étonna, en voyant la moufette tout abattue :

– Pourquoi cet air affligé, sœur moufette ?

– Comment ne pas être abattue ? soupira-t-elle. Telle que tu me vois, je meurs de faim et n'arrive même plus à attraper une seule petite grenouille pour mon dîner.

– Qu'à cela ne tienne ! Je peux t'aider à y remédier facilement, proposa le lièvre. Creuse un trou au bord du ruisseau et couche-toi ensuite au fond, en faisant la morte. Ce soir, tu auras un festin digne des rois !

La moufette ne se faisait pas trop d'illusions sur cette manière de se procurer sans grand-peine à dîner mais comme elle n'avait de toute façon pas le choix, elle creusa un trou au bord du ruisseau, s'étendit de tout son long au fond et ferma les yeux.

– Venez vite, regardez, au fond du trou gît la moufette et elle ne bouge pas du tout ! coassa de tous ses poumons une grenouillette. Elle m'a tout l'air d'être morte.

L'une après l'autre, les grenouilles sautèrent dans le trou et se mirent à danser la ronde autour du prétendu mort, toutes réjouies que la moufette ait enfin rendu l'âme.

– Essayez de sauter hors du trou ! leur suggéra le lièvre qui n'avait pas quitté les lieux, pour voir la tournure des événements.

Lorsque toutes les grenouilles, l'une après l'autre, furent remontées, le lièvre leur fit part de ses préoccupations, l'air vraiment grave :

– Le trou n'est pas suffisamment profond. Qui sait, la moufette n'est peut-être pas encore tout à fait morte ? Elle pourrait sortir du trou, et elle ne ferait ensuite de vous qu'une bouchée. Moi, à votre place, je tâcherais d'approfondir encore un peu plus le trou.

Se félicitant des conseils judicieux du lièvre, les grenouilles regagnèrent le trou d'un bond et se mirent à creuser la terre.

– Et maintenant, essayez encore de ressauter dehors, pour vérifier qu'il est assez profond.

D'un bond, les grenouilles regagnèrent le bord du trou, et le lièvre déclara :

– Vous voyez bien qu'il faut creuser encore en dessous de la moufette, pour l'empêcher de sortir si elle revient à la vie.

Les grenouilles sautèrent donc à nouveau au fond du trou et se remirent aussitôt à la tâche.

– Et maintenant, essayez encore de sauter pour voir s'il est suffisamment profond ! cria au bout d'un moment le lièvre.

Cette fois-ci, c'est en vain que les grenouilles tentèrent de bondir hors du trou, il avait désormais la profondeur souhaitée.

« Sœur moufette, dit le lièvre en riant, ton dîner est servi ! »

La moufette ouvrit les yeux et, en moins de temps qu'il n'en faut pour le dire, elle avala toutes les grenouilles.

Le Vieil Homme et l'oiseau

conte illustré par Didier Graffet

Il était une fois un tout petit oiseau enfermé dans une cage. Un vieil homme lui donnait à manger et à boire, lui prodiguait mille soins attentifs, car il aimait l'entendre chanter. Un jour, il dut s'absenter.

– Occupe-toi bien de mon oiseau, dit-il à sa femme.

Mais la vieille femme ne prit aucun soin de l'oiseau. Elle s'affaira dans la maison, mais ne remplit pas son écuelle. Un jour passa, puis deux, puis trois… L'oiseau avait tellement faim qu'il donna des coups de bec répétés sur les barreaux de sa cage et réussît à sortir ! En quelques battements d'ailes, il vola jusqu'à un plat rempli de graines, qui séchaient au soleil sur le rebord de la fenêtre et se mit à picorer. La vieille femme, folle de rage, attrapa l'oiseau et s'en débarrassa, loin de la maison.

– Il s'est sauvé ! dit-elle à son mari quand il fut de retour.

La maison était triste et silencieuse, plus une trille, plus un joli sifflement flûté… Le vieil homme, le cœur lourd, regardait la cage désespérément vide. L'oiseau ne revenait pas ! Un jour, n'y tenant plus, il partit à sa recherche dans la forêt. Il marcha longtemps et finit par l'entendre chanter sur une haute branche. Le petit oiseau lui fit fête, siffla délicieusement à son oreille et voleta autour de lui.

– Reviens à la maison ! le supplia le vieillard.

Mais le petit oiseau ne voulut rien savoir. Le vieil homme passa quelques jours dans la forêt, mais il fallait bien qu'il rentre chez lui :

– Choisis entre ces deux paniers, lui dit l'oiseau au moment de son départ.

L'un était grand et très lourd, l'autre petit et léger.

– Je ne mérite pas de cadeau, dit le vieil homme ému, mais je prendrai le plus petit en souvenir de toi. De toute façon, l'autre serait trop lourd pour moi.

Retenant difficilement ses larmes, il fit demi-tour et partit.

Rentré chez lui, il raconta son aventure à sa femme.

– Ouvre donc le panier, dit celle-ci avec curiosité.

Le vieil homme souleva le couvercle de paille et découvrit avec stupéfaction des pièces d'or et d'argent et des pierres précieuses qui brillaient de mille feux !

– Pourquoi n'as-tu pas pris le grand panier ? s'écria la vieille femme cupide. Dis-moi où est l'oiseau ! Je vais, à mon tour, lui rendre visite.

Et la vieille femme partit sans attendre dans la forêt.

– Joli petit oiseau ! lui dit-elle. Je suis morte de fatigue de t'avoir cherché si longtemps ! Enfin,
je t'ai trouvé ! Offre-moi un cadeau, puisque je t'aime tant !

L'oiseau voleta autour d'elle et posa deux paniers à ses pieds. L'un était grand et lourd, l'autre petit et léger. La vieille femme avide se saisit du premier et, sans même remercier l'oiseau, fit demi-tour.

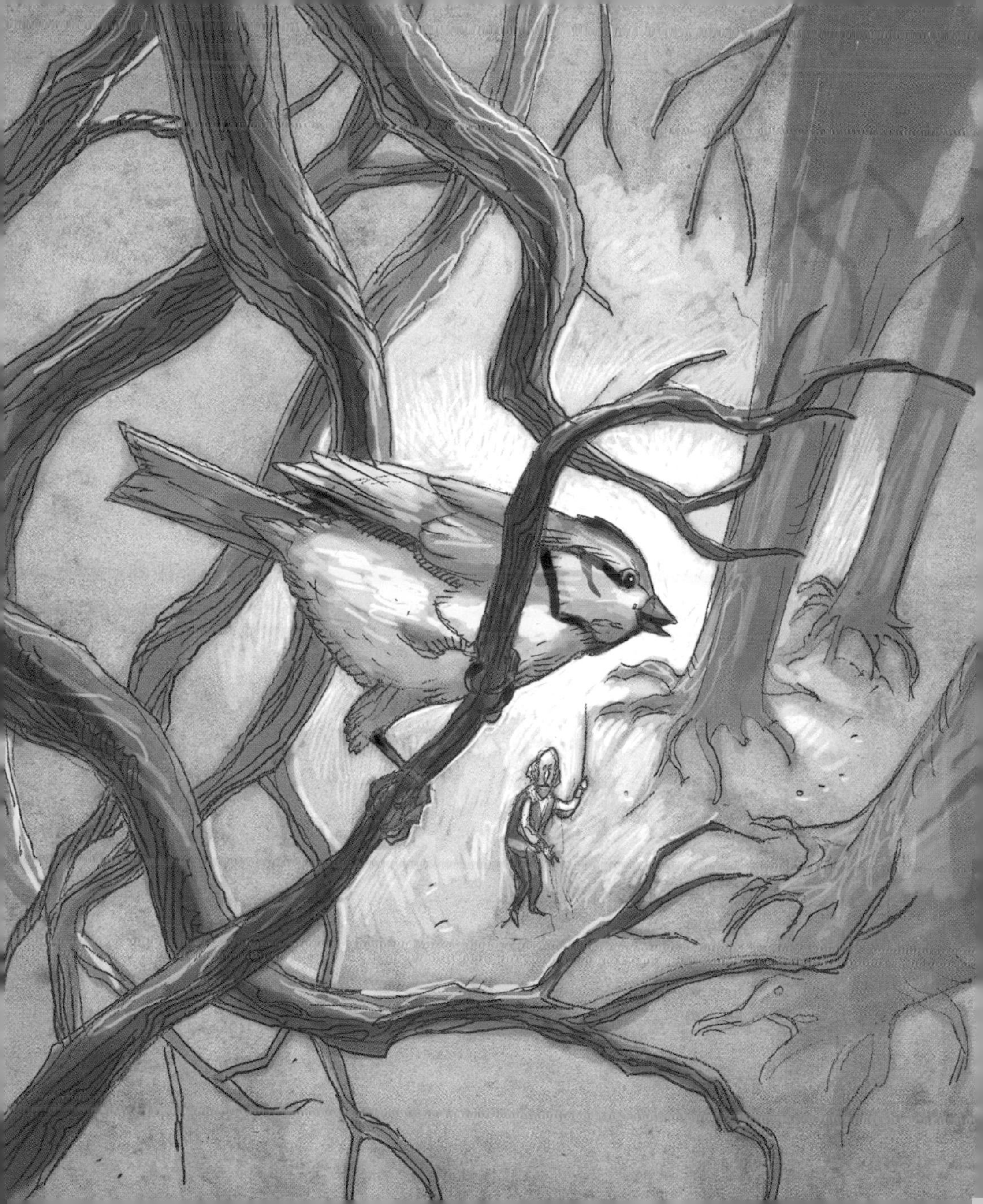

À peine arrivée chez elle, elle souleva le couvercle de paille et plongea ses deux mains dans le panier pour en sortir les pièces d'or. Mais son visage devint livide et elle poussa un cri d'horreur ! Des serpents, des cafards, des scorpions, des vipères et des crapauds… une multitude de bêtes répugnantes grouillaient à l'intérieur. Terrorisée, elle fit un bond en arrière et se précipita hors de la maison. Elle courut… courut, comme si elle était poursuivie par le diable… et elle court encore !

Le Lion fidèle

conte congolais illustré par Céline Puthier

Il était une fois un chef de tribu qui était bien cruel avec ses sujets. Ils devaient lui obéir aveuglément. C'est pourquoi ils lui faisaient offrande de leurs biens les plus chers et, le soir venu, ils dansaient pour lui, malgré leur extrême fatigue.

Un jour, un de ses sujets se rebella : il ne voulait plus se soumettre à ces ordres et décida de partir dans la savane.

– Tu seras une proie facile pour les animaux sauvages, lui dirent ses amis.

– Un homme intelligent arrive toujours à trouver une solution. Je préfère mourir plutôt que de continuer à vivre privé de liberté, répondit-il à ses amis.

Il décida de ne pas écouter les conseils de ses amis, prit donc sa lance et quitta le village. Dans sa colère, il partit sur-le-champ et vécut quelques jours dans la savane, se nourrissant de ce qu'il chassait et étanchant sa soif dans la rivière. Un jour, l'herbe se mit à ondoyer devant lui et des buissons sortit un énorme lion.

L'homme saisit sa lance et attendit un mouvement du lion. À sa grande surprise, le fauve ne l'attaqua pas, il s'arrêta et, tout en gémissant, lui tendit la patte. Alors, l'homme s'aperçut que le lion était blessé et qu'une longue épine était enfoncée dans sa patte.

« Le lion est un ennemi puissant, pensa l'homme, mais aider

un ennemi tombé à terre est une preuve de noblesse. Je dois surmonter ma peur. »

Il domina sa peur et s'approcha doucement, pas à pas. Il posa

sa lance dans l'herbe, s'agenouilla devant le lion et retira délicatement l'épine. Ensuite, il banda la plaie d'un morceau de tissu arraché à sa propre chemise. Le lion, ayant compris que l'homme l'avait secouru, rugit en guise de remerciement et ne le quitta plus. Dès que sa patte fut guérie, il chassa aux côtés de son sauveur et l'amitié entre l'homme et l'animal grandit de jour en jour.

Au bout de quelques mois, l'homme et le lion décidèrent de retourner au village. Les habitants, terrorisés par le fauve, se cachèrent à leur approche, mais l'homme leur dit qu'ils n'avaient rien à craindre. Le lion ne ferait pas de mal aux honnêtes gens, il était venu dans l'unique but de punir le tyran…

Le chef de tribu, comprenant que son heure était proche, s'enfuit à toutes jambes et ne revint plus jamais au village. Depuis ce jour, tous vécurent en paix. L'homme sage fut élu chef de la tribu et la dirigea avec honnêteté et justice. Le lion protégeait le village des envahisseurs et chassait, en compagnie de son ami, les animaux qui suffisaient à nourrir le peuple.

Qui est le plus vieux ?

conte suisse illustré par Bruno David

Dans une forêt, une nouvelle se répandit : la chèvre allait fêter ses soixante ans. Soixante ans, c'est un bel âge et celui qui l'atteint a l'impression de clore une période de sa vie pour entrer dans une nouvelle. Un tel anniversaire doit être fêté avec solennité.

Dans la maison de la chèvre justement, on préparait ce jour-là un riche festin ; il s'agissait d'accueillir avec hospitalité tous ceux qui viendraient la féliciter.

Déjà, des vastes alentours, les animaux arrivaient : la souris, la fourmi, la grenouille, la pie, le blaireau, l'écureuil, le papillon et beaucoup d'autres encore… C'est tout juste s'ils parvinrent à s'asseoir tous autour de la longue table chargée de mets exquis. Tout à coup, les hôtes commencèrent à se quereller. Il s'agissait de savoir à qui revenait la place d'honneur en bout de table, aux côtés de la chèvre sexagénaire, l'héroïne du jour.

– Depuis toujours, on donne la place d'honneur au plus ancien, dit l'un des invités.

– Dans ce cas, c'est moi qui m'y mettrai, fit le renard en s'avançant, tout en observant les autres d'un air rusé. Je suis sans aucun doute le plus âgé de tous. C'est moi, en effet, qui ai accroché la première étoile sur la sphère céleste quand il n'y avait encore ni lune ni soleil.

Tous les animaux regardèrent le renard avec stupéfaction. Il s'apprêtait déjà à prendre place au bout de table, quand le lièvre prit la parole :

– Ne te vante pas ainsi, renard, laisse aussi parler les autres.

Se tournant vers les invités, il expliqua :

– Chers amis, assurément, le renard dit la vérité. C'est bien lui qui a accroché dans le ciel la première étoile. Mais comment pensez-vous qu'il est parvenu jusque-là ? Pensez-vous qu'il a volé ? Ou escaladé ? Non point ! Il n'en est pas capable. Il est monté avec une échelle. Et voulez-vous savoir qui lui a fabriqué cette échelle. Eh bien, c'est moi !

Le lièvre redressa fièrement ses oreilles. Qui aurait dit que cet animal était si vieux ? Mais s'il en était ainsi, la place d'honneur lui revenait, chacun était d'accord là-dessus.

D'un air décidé, le lièvre frappa du pied et se précipita vers le bout de la table. À cet instant, un gémissement plaintif se fit entendre parmi les animaux.

– Qui perturbe ainsi notre repas ? grognèrent-ils tous en regardant autour d'eux : c'était la tortue dont les yeux étaient baignés de larmes. Elle sanglotait si fort que sa carapace en tremblait.

– Pourquoi pleures-tu, tortue ? N'as-tu pas honte de gâcher ainsi notre fête ? fit la pie d'un ton réprobateur.

Mais la tortue ne pouvait arrêter. Enfin, quand elle se fut un peu calmée, elle expliqua d'une voix secouée de sanglots :

– Pardonnez-moi, mes amis de troubler votre fête. Mais je n'ai pu me maîtriser. Ce sont les paroles du renard et du lièvre qui ont suscité en moi une telle tristesse…

Les animaux s'étonnèrent :

– Comment cela ?

– Vous avez entendu le renard raconter comment il avait accroché dans le ciel la première étoile. Et le lièvre, comment il avait fabriqué l'échelle… Ceci raviva en moi le souvenir de mon fils. C'est lui, en effet, qui sema les graines de l'arbre avec lequel, plus tard, le lièvre fabriqua l'échelle. Mais quelques jours après que les semences furent sorties de terre, mon pauvre garçon mourut.

Oh, quel malheur ! Que je suis malheureuse !

Et, la tortue fut de nouveau reprise par d'interminables sanglots.

– Ne pleure pas, tortue, dirent les animaux ; et tout en essayant de la consoler, ils caressaient sa carapace. Au moins aujourd'hui, oublie ce triste événement et viens t'asseoir à la place d'honneur : à présent, nous sommes tous persuadés que c'est toi l'aînée.

La tortue cessa brusquement de se lamenter et grimpa aussi vite qu'elle le put à la place d'honneur de la table richement garnie. La dispute terminée, chacun se régala joyeusement.

Pourquoi les animaux n'auraient-ils pas accordé ce privilège à la tortue alors qu'ils savaient que, même dans le monde des hommes, elle était vénérée et considérée comme le symbole de la longévité et de la vieillesse ?

Le Vilain Petit Canard

illustré par Anne Defréville

Oh, qu'il faisait bon, dehors, à la campagne ! C'était l'été. Les blés étaient jaunes, l'avoine verte, le foin était rassemblé en tas dans les prés, et la cigogne marchait sur ses longues jambes rouges et parlait égyptien, car sa mère lui avait appris cette langue.

En plein soleil s'élevait un vieux château entouré de douves profondes où poussaient des bardanes. L'endroit était aussi sauvage que la plus épaisse forêt, et là, une cane, sur son nid, couvait ses

futurs canetons qui devaient bientôt sortir des œufs.

Enfin, un beau jour, les œufs craquèrent l'un après l'autre. On entendait « clac ! clac ! » : tous les jaunes d'œuf étaient devenus vivants et sortaient la tête. Il n'en manquait qu'un à l'appel, qui arriva après plusieurs jours.

– Voilà un caneton terriblement gros, dit la cane en conduisant toute la famille dans la basse-cour.

Tous y furent reçus gentiment, à l'exception du pauvre caneton qui était sorti de l'œuf le dernier. Il était si laid qu'il fut mordu, bousculé et nargué, à la fois par les canes, les poules et toute la basse-cour.

Et ça alla de mal en pis. Le pauvre caneton fut ensuite pourchassé par ses frères et sœurs eux-mêmes, qui lui disaient :

– Si seulement le chat t'emportait, hou, le vilain !

Et la mère ajoutait :

– Je voudrais que tu sois bien loin !

Alors un jour, il s'envola par-dessusla haie et parvint au grand marais habité par les canards sauvages. Il y passa toute la nuit, très las et très triste. Et, le jour suivant, il dut apprendre à fuir les chasseurs avec leurs chiens féroces. Mais ce n'était là que le début de ses mésaventures car tous les animaux qu'il rencontrait, sans exception, le dédaignaient à cause de sa laideur. Et même, souvent, les hommes et les enfants des hommes le pourchassaient de leur bâton en le menaçant.

L'automne arriva et, avec lui, le froid puis le gel. Le pauvre caneton n'était certes pas à son aise...

Un soir, comme le soleil se couchait, surgit dans le ciel superbe tout un troupeau de beaux, grands oiseaux, qui volaient haut, très haut, et le vilain petit caneton éprouva une impression étrange. Il se mit à tourner en rond dans l'eau comme une roue, tendit le cou en l'air vers ces oiseaux, poussa un cri si fort et si bizarre que lui-même en eut peur. Oh! Il n'oublierait jamais ces charmants oiseaux, ces heureux oiseaux! Sitôt qu'il ne les vit plus, il plongea jusqu'au fond de l'eau, et lorsqu'il revint à la surface, il fut comme hors de lui. Il ne savait pas le nom de ces oiseaux, ni où ils allaient, mais il les aimait comme jamais il n'avait aimé personne! Il n'en était pas du tout jaloux: comment aurait-il pu avoir l'idée de souhaiter une telle grâce? Il aurait été heureux si seulement les canards l'avaient supporté parmi eux… pauvre vilaine bête !

L'hiver qui suivit fut glacial, et le caneton eut alors très très froid en se cachant dans les buissons couverts de neige. Et ce fut un bien triste hiver… Mais il pensait pour se réchauffer aux grands oiseaux blancs qu'il avait vus, haut dans le ciel…

Enfin, après des mois interminables, le printemps un beau jour arriva. Et, à la suite de cet hiver si rigoureux, ce fut une explosion de fleurs et de chants d'oiseaux. Toute la nature revivait ! Et tandis que le caneton savourait cette douceur, droit devant lui, sortant du fourré, s'avancèrent trois beaux cygnes qui battaient des ailes et nageaient avec grâce. Il reconnut les magnifiques bêtes, et les grands cygnes se mirent à nager autour de lui et à le caresser avec leurs becs.

Des petits enfants arrivèrent dans le jardin, jetèrent du pain et du grain dans l'eau, et le plus jeune s'écria :

– Il y en a un nouveau ?

Et les autres enfants étaient ravis :

– Oui, il y a un nouveau cygne !

Et ils battirent des mains et dansèrent en rond, coururent chercher leur père et leur mère. On jeta dans l'eau du pain et de la galette, et tout le monde dit :

– Le nouveau est le plus beau ! Si jeune et si joli !

Et les vieux cygnes le saluèrent.

Tout confus, le jeune cygne cacha sa tête sous son aile. Il ne savait plus où il en était ! Il était trop heureux, mais nullement orgueilleux, car un bon cœur n'est jamais orgueilleux. Il songeait combien il avait été honni et pourchassé, et maintenant il entendait dire qu'il était le plus charmant des charmants oiseaux ! Et les lilas inclinaient leurs branches sur l'eau jusqu'à lui, et le soleil brillait et le réchauffait.

Alors ses plumes se gonflèrent, son cou mince se dressa, et, le cœur ravi, il cria :

– Jamais je n'ai rêvé d'un tel bonheur quand j'étais le vilain petit canard !

Le Coq entêté

conte portugais illustré par Emmanuel Saint

Il était une fois un coq qui se souciait de ses poules comme d'une guigne. Au lieu de se pavaner dans la basse-cour, il se promenait du matin au soir dans la campagne. C'était un vrai vagabond.

Un jour, il monta au sommet d'une colline d'où il voulait contempler le paysage. En regardant autour de lui, il aperçut un sac plein de pièces d'or. Sans l'ombre d'une hésitation, il prit le sac dans son bec.

« Tonnerre, comme il est lourd ! » se dit-il. « Et puis, que vais-je en faire ? Ah je sais ! Je vais l'apporter à notre roi. Il me donnera sûrement une belle récompense et peut-être me nommera-t-il chevalier ! Après tout, j'en ai déjà les éperons » pensa-t-il en regardant ses ergots.

Il se mit en route pour la ville où se trouvait le palais du roi.

Il marcha très longtemps et parvint au bord d'une rivière.

– Ôte-toi de mon chemin, rivière ! Ne vois-tu pas que je suis pressé ? cria-t-il.

Mais la rivière continua à couler tranquillement dans son lit sans accorder la moindre attention au coq.

Eh bien que croyez-vous qu'il arrivât ? le coq but toute l'eau de la rivière jusqu'à la dernière goutte et reprit sa route. Tout à coup, il rencontra le renard. Il était assis au milieu du chemin et ne semblait pas décidé à laisser passer le coq.

– Ôte-toi de mon chemin, compère renard ! ordonna le coq.

Mais le renard ne bougea pas. Vous n'allez peut-être pas le croire, mais le coq piqua le renard avec son bec comme un verre de terre et le mangea ! Puis il repartit d'un bon pas jusqu'au milieu du chemin, où il vit se dresser un sapin.

– Laisse-moi passer, sapin ! exigea le coq.

Mais le sapin ne se déplaça pas d'un pouce. Alors, aussi incroyable que cela puisse paraître, le coq mangea le sapin comme une miette de pain !

Il marcha encore et croisa un loup qu'il mangea aussi. Ensuite, il ne mangea plus rien, tout simplement parce qu'il ne trouva rien en travers de son chemin.

– Je t'apporte de l'or, dit le coq au roi lorsqu'il fut enfin arrivé au palais.

Il posa le sac aux pieds du souverain.

– C'est très bien, dit le roi très content. Je vais te récompenser pour cette belle action.

Il fit appeler le surintendant du poulailler et du pigeonnier qui était aussi le surveillant général des canards et des oies et lui ordonna de recevoir le coq comme un invité d'honneur.

Le surintendant royal conduisit le coq dans le meilleur poulailler, lui donna des grains de millet de premier choix et le laissa là.

« C'est ainsi que le roi me récompense pour un sac plein de pièces d'or ? » se dit le coq. « Il ne sait donc pas que j'aime vagabonder et que je voudrais devenir chevalier ! »

Et il commença à crier qu'il voulait qu'on lui rende le sac de pièces d'or. Il criait tellement fort qu'on l'entendait dans tout le palais. Mais personne ne se montra.

– Ah, c'est comme ça ! se dit-il. Eh bien nous allons voir ce que nous allons voir !

Il ouvrit tout grand son bec et en fit sortir le renard qu'il avait mangé en chemin.

C'était la première fois de sa vie que le renard se trouvait dans

un poulailler royal, et il sut profiter de l'aubaine : en quelques minutes, il dévora toutes les poules du roi.

– Ah le fripon ! s'exclama le roi lorsqu'on lui apprit la nouvelle.

Il fit enfermer le coq dans la serre de son jardin royal.

De là au moins, le coq voyait un peu ce qui se passait dehors, mais cela ne faisait pas grande différence. Il cria, hurla qu'on lui rende le sac de pièces d'or, mais personne ne vint.

Alors le coq fit sortir le sapin de son gosier. L'arbre tomba, cassant en mille morceaux les parois de verre de la serre.

– Ah le gredin ! s'écria le roi.

Il ordonna que l'on mette le coq dans l'écurie royale. Là encore, le coq demanda à cor et à cri qu'on lui rende le sac de pièces d'or mais en vain. Alors il fit sortir le loup qui dévora l'un après l'autre tous les chevaux du roi.

– Ah, le bandit, le vaurien ! Je ne sais plus que faire, s'exclama le roi en trépignant, tant il était en colère.

Mais il eut encore une idée : il fit allumer le four et y mit lui-même le coq pour le manger au déjeuner. Même dans le four le coq continua à crier :

– Cocorico ! Cocorico ! Je veux qu'on me rende le sac de pièces d'or !

Et comme personne ne lui répondait, il ouvrit grand son bec

et en laissa couler la rivière qu'il avait bue en chemin. L'eau éteignit le four, se répandit dans la cave et monta, monta…

– Qu'on lui donne le sac pour qu'il nous laisse en paix, ordonna le roi à son trésorier. Autrement, tout le château va être inondé !

L'ordre du roi fut exécuté. On redonna le sac de pièces d'or au coq qui, comme il aimait se promener, repartit à l'aventure.

Le Crapaud

illustré par Anaïs Rotteleur

Un puits était si profond que le soleil ne parvenait jamais à se mirer dans l'eau, si claire qu'elle fût. C'est là que vivait une famille de crapauds, partageant l'humide habitacle avec les grenouilles vertes, leurs lointaines cousines.

Les jeunes grenouilles vertes trouvaient les vieux crapauds bien vilains et leurs petits, à vrai dire, tout autant.

– C'est bien possible, rétorquait la mère crapaud, mais l'un d'eux a une pierre précieuse dans la tête, et, allez savoir, je l'ai peut-être aussi !

Et tous la croyaient ! Certains étaient même un peu jaloux… Le plus petit crapaud, seul, se désintéressait de la question. Son unique désir, à lui, était d'atteindre la margelle du puits pour voir ce qui se passait au-dehors.

Un jour que le petit garçon de la ferme tirait l'eau du puits, il fut surpris par le crapaud qu'il avait remonté avec le seau :

– Fi, quelle horreur ! dit le garçon. C'est le plus vilain crapaud que j'ai jamais vu !

Et de son sabot, il donna un coup de pied au crapaud qui vola au milieu de hautes orties.

– C'est beaucoup mieux ici qu'en bas, fit alors le crapaud sans se démonter. On aurait envie de rester ici toute sa vie !

Il resta là une heure, puis deux. Il demeura huit jours près d'un fossé où la nourriture ne manquait pas. Le neuvième jour, il s'était lassé et se dit : « Allons plus loin ! » Et il se remit en route.

Une nuit, il arriva dans un champ près d'une grande mare entourée de joncs, et s'en approcha pour se reposer. Il vit luire les étoiles, il vit briller la nouvelle lune, puis il vit le soleil se lever le matin et monter de plus en plus haut.

Et le lendemain, après cette nuit sous le ciel immense, il se trouva à nouveau sur la grand-route où habitaient les hommes. Il y avait là des jardins et des potagers et même une basse-cour.

– Quelle variété de créatures ! Et comme le monde est grand et merveilleux ! Mais il faut tout observer autour de soi et ne pas rester au même endroit.

Alors, il progressa, vit une ferme et regarda alentour.

Le père cigogne était dans son nid, sur le toit de la maison du paysan ; il jabotait avec la mère cigogne.

– Comme ils demeurent haut ! Se dit le crapaud. Si l'on pouvait arriver tout là-haut !

Puis il observa attentivement la maison du paysan de ses gros yeux de bon crapaud curieux. Dans cette maison habitaient deux étudiants : l'un était poète, il chantait en vers brefs, clairs et somptueux ; l'autre naturaliste, il voulait tout connaître à fond et en rendre raison. Ils étaient braves et gais tous les deux.

– Voilà un bel exemplaire de crapaud, dit le naturaliste, il faut que je le mette dans de l'alcool.

– Tu en as déjà deux autres, dit le poète. Laisse-le s'amuser tranquillement !

– Il est si délicieusement laid, dit l'autre.

– Évidemment, si nous pouvions trouver la pierre précieuse dans sa tête, dit le poète, je prendrais part moi-même à sa dissection.

– La pierre précieuse ! dit l'autre. Tu connais bien l'histoire naturelle !

– Ils ont aussi parlé de la pierre précieuse ! dit le crapaud. Décidément ! Il est heureux que je ne l'aie pas, sans quoi j'aurais eu des ennuis.

Un jacassement se fit alors entendre sur le toit du paysan. Le père cigogne faisait une conférence à sa famille. Et la mère cigogne évoquait le pays d'Égypte et l'eau du Nil.

– Il faut que j'aille en Égypte, se dit le crapaud, car j'en ai tellement envie ! Tout le plaisir et le désir que j'éprouve, ça vaut

certainement mieux que d'avoir une pierre dans la tête.

Et il ne savait pas qu'il l'avait, justement, la pierre précieuse, et qu'elle représente les éternels désir et plaisir de monter, monter toujours, avec joie et enthousiasme !

C'est à ce moment qu'arriva le père cigogne : il avait vu le crapaud dans l'herbe, il se précipita et saisit le petit animal.

Et couac ! Il le tua !

Mais alors, l'étincelle des yeux du petit crapaud, que devint-elle ?

Le rayon de soleil emporta la pierre précieuse qui était dans sa tête.

Mais où ?

Ne le demandez pas au naturaliste, demandez-le plutôt au poète, il vous le dira sous forme de conte. Songez donc ! La chenille se transforme et devient un charmant papillon. La famille de cigognes vole par-dessus monts et mers pour gagner l'Afrique lointaine, et trouve quand même le chemin le plus court pour rentrer au pays danois, au même endroit, sur le même toit ! C'est presque trop fantastique, et pourtant c'est vrai !

Mais la pierre précieuse ?

Cherchez-la dans le soleil ! Cherchez-la partout ! Cherchez-la toujours !

Le Vieux Couple et les écureuils

conte coréen illustré par Pauline Lefebvre-Vannier

Dans les montagnes de la province Kangwǒn vivait un vieux couple. Les époux n'avaient point eu d'enfant, de sorte que personne à présent ne s'occupait d'eux et ils menaient leur vie comme ils le pouvaient. Le vieil homme tressait des sandales avec de la paille et du liber et les vendait sur le marché, tandis que sa femme faisait le ménage chez des voisins fortunés contre un peu de nourriture.

Un jour, la vieille femme aperçut dans le bois une belette qui emportait dans ses dents un petit écureuil glapissant de peur. Elle asséna un coup de râteau à la belette et sauva l'écureuil. Puis elle emporta chez elle le petit animal, soigna ses blessures et s'occupa de lui jusqu'à ce qu'il guérisse tout à fait. Pour le nourrir, elle lui apportait des glands et des marrons, et quelquefois même des noisettes.

L'écureuil se sentait si bien chez le vieux couple qu'il ne

voulut plus le quitter. De temps en temps, il sortait dans la forêt mais revenait toujours. Les deux vieillards l'aimaient comme leur propre enfant, et quand il mit au monde quatre petits, ils s'en occupèrent aussi avec amour.

Les jeunes écureuils grandirent, eurent des petits, qui à leur tour mirent au monde d'autres petits. Ils étaient de plus en plus nombreux dans la maison du vieux couple, envahissant la pièce unique et la cour, s'ébattant et sautant partout, s'asseyant sur les genoux des deux vieillards, se laissant caresser ou exécutant différents tours pour les amuser. En récompense, le vieux couple, heureux de n'être plus tout à fait seul, leur apportait des glands et d'autres délicatesses.

Les années passèrent ; mais avec elles, les forces des deux époux diminuèrent. Ils marchaient déjà avec peine, et étaient désormais incapables d'aller chercher des glands et des noisettes. Les écureuils, eux, étaient de plus en plus nombreux.

Un jour, comme le vieil homme caressait la fourrure rousse de l'écureuil le plus âgé, il lui dit tristement :

– Mon pauvre écureuil, nous n'avons plus la force de nous occuper de vous. Il vaudrait peut-être mieux que vous retourniez dans la forêt et vous occupiez vous-même de votre subsistance ! Même si, sans vous, nous nous sentirons bien abandonnés…

L'écureuil posa ses yeux sages sur le vieil homme, hocha la tête comme s'il avait compris ses paroles, et sauta de ses genoux. Puis il quitta la chaumière et, suivi de tous les autres, disparut dans la forêt. Dans la pièce et la cour désertes, un silence empreint de chagrin s'installa. Le vieux couple avait l'impression d'avoir perdu ses propres enfants !

– Tu n'aurais pas dû les chasser tous, fit la femme d'un ton de reproche. Je vais avoir du mal à m'habituer à la solitude, et me languirai d'eux.

Le vieil homme sentit lui aussi la tristesse l'envahir mais les écureuils étaient partis. Vers le soir cependant, encore avant le coucher du soleil, l'aîné des écureuils surgit soudain sur la porte de la palissade. Et hop, il sauta dans la cour, entra dans la pièce et déposa devant le vieil homme un épi de riz. Les autres écureuils arrivèrent

derrière lui, si nombreux qu'ils renversèrent même la porte.

Avant que les époux ne se soient remis de leur surprise, un beau tas d'épis dorés s'élevait dans la chaumière : il y en avait assez pour passer l'hiver. Et les écureuils n'avaient ramassé que les épis laissés par les paysans après la récolte.

À partir de ce jour, les écureuils leur apportèrent toutes sortes de choses pour les remercier des soins et de l'amour qu'ils leur avaient prodigués pendant des années. Ils apportèrent même de la forêt différentes plantes ainsi qu'une racine bizarre qui ressemblait à un petit homme.

– Mais c'est du ginseng ! s'écria le vieil homme étonné.

Avec ces plantes, son épouse prépara une tisane fortifiante, puis râpa la racine de longue vie et la mélangea à du miel. Le ginseng et les autres plantes dont les écureuils seuls connaissaient les effets miraculeux rendirent aux vieux époux force et santé. Ils rajeunirent tant qu'ils purent travailler de nouveau et n'eurent plus aucun souci pour leur survie.

Les Musiciens de Brême

conte des Frères Grimm illustré par Jérôme Brasseur

Il était une fois un vieux meunier qui possédait un bel âne du nom de Grison. Chaque jour, cet âne emportait les sacs de blé au moulin, sans jamais se plaindre de la mauvaise humeur de son maître. Mais l'âne vieillissait et, peu à peu, ses forces déclinaient. Le meunier se dit un jour qu'il était temps de s'en débarrasser.

Et il envoya à grands coups de bâtons le malheureux sur les routes. Le pauvre âne, les oreilles basses, prit la direction de Brême. Il s'imaginait devenir bientôt musicien au service de la ville.

En chemin, il rencontra un chien de chasse qui gémissait dans un fossé.

« Eh bien, Taïaut, que fais-tu ainsi à attendre la mort ? demanda l'âne.

– Je me fais vieux… répondit le chien. J'ai bien du mal à chasser comme autrefois. Mon maître, peu reconnaissant, voulait me tuer, alors je me suis enfui. Mais où vais-je vivre désormais ?

– Je me rends à Brême pour devenir musicien. Viens donc avec moi, lui proposa Grison. Nous serons les plus heureux ! »

Ils repartirent donc tous deux sous le doux soleil d'été.

Un peu plus loin sur la route, ils rencontrèrent un chat qui se promenait le long des champs de blé.

« Eh bien, vieux Raminagrobis, pourquoi as-tu l'air si triste ? lui demanda l'âne.

– Je me suis enfui de chez ma maîtresse ! répondit le chat. Comme j'étais plus souvent derrière le poêle à me chauffer qu'à la cave ou au grenier à chasser les souris, elle a essayé de me noyer. Je me suis sauvé alors qu'elle tentait de m'attraper. Et maintenant, je ne sais plus où aller…

– Viens avec nous à Brême. Tu connais aussi la musique, nous jouerons ensemble. »

Les trois compères arrivèrent bientôt devant une ferme qu'ils connaissaient bien.

Le soleil était déjà haut dans le ciel depuis fort longtemps… Pourtant, le coq criait de toutes ses forces, perché sur un petit muret.

« Arrête, Chanteclair, tu nous casses les oreilles ! s'emporta Raminagrobis. Pourquoi hurles-tu de la sorte ?

– Je chante pour la toute dernière fois de mon existence… répondit le coq avec tristesse. La fermière veut que la cuisinière me coupe le cou à l'aube, pour me servir à table.

– Puisque tu chantes si bien, lui répondit Grison, l'air malicieux, viens avec nous ! Nous partons tous les trois pour Brême, afin de devenir de grands musiciens… »

Aussitôt, le coq cessa de chanter, sauta de son muret et se posa sur la croupe de l'âne. Les quatre amis reprirent leur chemin, se racontant à tour de rôle ce qu'ils avaient enduré pendant leurs longues années de servitude.

Comme Brême était une ville lointaine, nos quatre complices décidèrent de chercher un logis pour se reposer. Le coq se percha tout en haut d'un grand chêne pour examiner les alentours. Après avoir regardé de tous côtés, il aperçut une lumière.

Le chat s'empressa de le rejoindre, en grimpant prestement sur l'arbre. Grâce à sa vue perçante, il confirma les dires du coq :

« Je vois une lumière qui brille au loin !

Elle provient d'une petite maison dans la clairière.

– Quittons cette forêt ! répondit Grison. Allons voir là-bas si le gîte et le couvert sont meilleurs. »

Ils se mirent aussitôt en route et arrivèrent près d'une petite maison de bûcherons. Ils se dirigèrent sans faire de bruit vers la fenêtre. Grison passa la tête et découvrit trois affreux brigands, attablés autour d'un ragoût dont le fumet se répandait au dehors.

« Je vois trois bandits devant un très bon repas... murmura Grison. Nous devons les faire fuir. Vite, Taïaut, grimpe sur mon dos, et toi, Raminagrobis, monte sur le sien ! Chanteclair, tu te percheras au sommet. Dès que je pousserai la fenêtre, nous hurlerons tous en chœur. »

Au signal de l'âne, la fenêtre s'ouvrit brusquement et des cris, des braiments des miaulements et des aboiements envahirent toute la pièce. Pensant se trouver face à un fantôme, les brigands s'enfuirent dans la forêt, sans se retourner. Dès qu'ils furent suffisamment éloignés, le chien, le chat, l'âne et le coq entrèrent, se mirent à table et dégustèrent ce qui restait dans la marmite fumante.

Puis vint l'heure de se coucher. L'âne s'étendit sur la paille, le chien près de la porte de derrière, le chat à côté du poêle, et le coq au sommet du tas de foin.

Épuisés par leur longue marche, les quatre complices s'endormirent aussitôt.

Mais les brigands n'étaient pas loin. La première frayeur passée, le chef du petit groupe ne put se résoudre à quitter une si douce retraite. De plus, il avait encore faim !

Comme le calme semblait revenu, il donna l'ordre à l'un de ses hommes d'aller voir si ce terrible fantôme était encore dans la maison.

L'homme prit alors son courage à deux mains et s'approcha doucement. Il poussa lentement la porte et pénétra dans la cuisine. Près du poêle, il lui sembla voir briller deux braises. Il approcha une allumette pour les embraser…

Mais Raminagrobis, qui dormait les yeux ouverts, n'apprécia guère cette soudaine intrusion. Se dressant
sur ses quatre pattes,
il cracha sur le voleur et lui sauta dessus, toutes griffes dehors.

Terrorisé, le brigand se protégea le visage et traversa la pièce

« Il y a dans la maison, près du poêle, une sorcière qui griffe ceux qui s'approchent d'elle ! Près de la porte, un homme veille le couteau à la main, et [illegible] autre est caché dans le tas de foin avec un gourdin. J'ai mê[illegible]ndu un juge sur le toit qui criait : "qu'on capture ce [illegible] on capture ce coquin !" »

Après [illegible] récit, les voleurs n'osèrent plus jamais s'aventurer dans le coin.

[illegible]ant à nos quatre compères, ils décidèrent que Brême atten[illegible]res musiciens. Ils s'installèrent dans la maison pour vivre des jours heureux et paisibles.

à toute vitesse, pensant s'enfuir par la porte de derrière. Malheureusement pour lui, il buta contre Taïaut, alors qu'il franchissait le seuil. Celui-ci se redressa vivement et le mordit sévèrement de ses terribles crocs. Puis il le poursuivit sur quelques mètres en aboyant. Le voleur se mit à courir à travers la cour en hurlant à pleins poumons.

Dans son élan, il sauta par-dessus ce qui semblait être un tas de foin. Mais à l'instant même où il franchissait cet obstacle, Grison, réveillé en sursaut, lui décocha un violent coup de sabot ! Tiré de son sommeil par tout ce vacarme, Chanteclair, croyant l'aube arrivée, se mit à chanter : « Cocorico ! Cocorico ! »

Le voleur s'enfuit aussi vite que ses jambes le lui permirent, jurant de ne plus jamais remettre les pieds dans cette maison hantée.

Hors d'haleine, il raconta son aventure :